BOTSHOL

Eerste druk september 1980
Tweede druk maart 1981
Derde druk september 1986
Vierde druk november 1991

Judith Herzberg

BOTSHOL

Uitgeverij G. A. van Oorschot
Amsterdam

BOTSHOL

Altijd bang in nachtdiep water
dat is bang aan land.

Dit is geen hol, eerder een leegte
geen stootrand voor begrip, begeerte,

noch een grot met ruwe wanden
waarin op de tast.

Zonder randen ligt het zonder
berm, horizon, houvast.

Geen bodem waarop schaduw meevaart.
Helder het zwartst.

Onttrekt zich in verte aan verte
onttrekt zich in vlakte.

Water onder water
luistert niet. Likt niets los.

LAAT PAAR I

Will there be a net en wit geschilderd hek between their two
such different wildernesses? Een hek dat piepend open kan?

Kunnen hun lippen de afstand verzachten, lippen uit zulk ander
voedsel gegroeid, om zulke andere woorden gevormd?
Mond op mond elk zijn verhaal in moeite taal.

Vloeit het samen, zelfs inéén, hoe? Terwijl
uit zulk verschillend onweer water neerslaat?

Zijn ze aandoenlijk, herkenbaar, de ander's gebutste resten?
En het broeivuur hier en daar, dat, uitgetrapt, weer opvlamt toch
zo vluchtend onblusbaar – blijft het verontrusten?

Zelf gewend elk zelf gewend – maar hoe de mankheid aangepast
als onder heler zon de laatste warmte opgevangen
wordt, arm in onbegrijpelijke arm, over de promenade?

LAAT PAAR II

1

Zij zegt: kijk hoe in de tent van ons bed
onze benen zich strekken tot in een verte
waar het laken licht doorlaat en hoe
onze voeten elkaar al kennen.

2

Goed dan, schoenen. Over de loper omlaag
de lobby de palmen de koffie
op straat. Frankrijk
onder de voeten. Sneeuw? Voel je crunch
crunch als in uit het Russisch
vertaalde boeken?

3

De taal die onze voeten praten
hoeven wij niet te verstaan.
Maar bij die waterval
waar wij sprakeloos waren
deden de voeten het stilstaan
het geïmponeerde, lange,
toen, tegelijk,
het verder gaan.

4

Zij heeft zo'n sterk verlangen naar –
heeft hij dat niet? Nee,
hoogstens naar – naar wat dan?
hoogstens naar mei.
Mei ergens anders,
zegt dat er niet bij.
What makes you sigh, love?
(herinnering aan taxi)

5

Wat was dat met die taxi?
De man die naast me zat zei tegen me:
'Was het maar weer April' en stierf.
Ook zag ik als kind wilde paarden
wegspetteren aan de horizon
als een regen van zaden. Begrijp je?
Ik? Waar kan zij het mee vergelijken?

6

The story of my life
is it – is het dat wel
is het wel een verhaal.

7

Vreemd, vreemd.
Terwijl je kijkt, hoe kijk je.
Hoe in je, vergelijk je.

8

En je droom?
I was driving.
A long straight road.
An empty landscape on both sides.
I am married.
I live alone.
I am not happily married,
I am strongly married.
I own a sofa.

9

Wat brengt zij in?
Hoe zij met haar nagel
over linnen ging.
Maar dat is nog minder
een verhaal, en, als van de zandvoor,
de zandsporen, onvertaalbaar.

10

Steeds korter later
het aan elkaar beloofde
oh for a common past
één kussen voor twee hoofden.

11

Zijn hart steigert en rukt
of het op eigen kracht
buiten, en voor hem uit
de weg af stuiteren wil.

12

Zijn hand ligt naast de hare,
maar anders geaderd, anders
verweerd door dat ander klimaat daar
zij kijkt, staart tot het geen hand meer –
eerder een klein eiland is, vreemd
nooit eerder zo, en vreemde landkaart.

Hoe de zon ondergaat
hoe hij het ziet
als een koperen dienblad
zij als een roodgloeiende
cirkelzaag die
aan het eind van het water
sissend omlaag draait.

JULI

Ik ben mijn jongen kwijt
goud gaf ik voor geritsel
mijn nest zit me te wijd.

INSOMNIA

Hij heeft het druk.
Hij heeft ook voetjes op zijn rug gekregen
die, als hij slapen wil,
blijven bewegen.

GRIJS-TRAP

Het eerste vond ik raar. Ik stuurde het naar Londen
waar mijn geliefde het in de brief, waarin het opgevouwen was
niet zag, zodat het even later op de grond lag
waar niemand het meer kon vinden. Have one of mine
bood een oudere dame daar aan, maar
mijn haar was toen voor hem nog onvervangbaar.

Het tweede werd door de kapper ontdekt.
Wilt U dat ik het laat zitten of wilt U
dat ik het uit-trek. Dat hij U zei vond
ik al gek, trek maar zei ik maar wist
meteen dat dit, filosofisch, verkeerd was,
en besloot me bij het derde, als het ooit
zou komen, wijzer te tonen.

Het derde kwam, dat had ik niet verwacht.
Ik heb het nog een rode schijn gegeven
maar J. vond dat niet mooi en hij
kon het weten want hij was zelf juist
bijna dood geweest, zodat ik, ja
bij het vierde en het vijfde
toen geloofde ik er aan.

Nu heb ik er honderd en dat verschaft
toegang. Tot hoofden die precies even wit
en niet wit zijn als het mijne, tot lijnen
die nu nog bijna geheel kunnen verdwijnen.
Verwant vind ik die tussen-in-gezichten
die af en toe geheel verdord, alles al weten,
maar soms ook nog, illusionisten
rimpelloos oplichten. Les absents ont tort,
geverfden hebben iets gemist.

VEULEN

Geef hem wat hij verlangt
zo lang hij zo verlangt
want langzaamaan belandt
de hevigheid in minder
hevigheid en met zijn hand
zacht aan de zachte platte hals
weet hij veel beter
wat hem als kind beving
dan wat nu – nu hij het heeft –
met het dier aan te vangen.

AFSCHEID VAN EEN ZEVEN-JARIGE

Hij stapt naar voren, vanachter broer,
zoent zacht en nauwelijks –
alleen wat spuug blijft over.
En doet een stap, voldaan, weer achteruit,
ziezo, gedaan, voorlopig over.
Ballpoint-bestreept gezicht wolkloos opgelucht.
Daarna, omdat hij bij nader inzien
toch afscheid nemen wil, geeft hij een hand.

REISPIJN

Goed, je mag mee op reis, mee
exploreren. Klauteren over oude
omgevallen steden, en vanaf hoge,
hedendaagse zonsop- zonsonder-
waar zullen we eten.

Je mag in de koffer
tussen de vouwen van mijn rokken
in de holten van de kralen.

Maar wil je je, wil je je please alsjeblieft
wil je je netjes gedragen? Want weet je
we komen daar iemand tegen
iemand die jou nog niet kent.
Ik zal jullie daar
wel aan elkaar voorstellen, maar
kalm aan, niet woest, zoals vroeger.

Op een balkon misschien,
bedaard en bedachtzaam,
tegen de avond, met glazen
met ijsblokjes erin,
die tinkelen misschien
en hoor daarin dan niet meteen
het grote vriezen kraken.

Vroeg rustig slapen gaan en dromen
van weinig en dichtbij, wil dat beloven
niet schreeuwend wakker worden 's nachts
niet meer dat tomeloze.

Niet 's ochtends meteen de radio aan
hoogstens het plaatselijke zingen horen
waarvan wij de woorden niet verstaan.
Maar niet het nieuws dat de keel omklemt
niet wat jij 'de wereld' noemt, bijtend, borend.

Wandelen wij in het makkelijk dal
laat dan de beelden met rust,
laat het niet steeds opnieuw gebeuren
de modder, het schreeuwen,
daar zijn heuvels
die er niets aan kunnen doen.

MUSSEN

Neem één musseveer –
probeer ze weg te denken
die er mee vliegen, de
cyperse dames en heren
maat jutteperen – en je bent
nergens meer.

OVER MANGO EN GUAVA

Minder houdbaar dan reinetten
maar zoet de voorsmaak van het grote rotten
rep je rep je naar de verte
onrust, bijna-bederf, lekkerste.

TOT TOEN AAN TOE GING ALLES GOED

Rijkdom is leegte op glanzende tegels
armoede dozen vol halfvolle potten
rijk een veranda met uitzicht op niets
arm een balkon met gereedschap en fietsen
weelde is niets te hoeven bewaren
armoede reddert van winter naar winter
rijkdom is stilte, en stil achter stilte
armoede haast.

En zo genoten zij dag en nacht
van wit en van stilte en water glad
de stenen stenen en het mos dat daar lag.

ZIEKENHUISTUIN

Midzomer met zijn overdonderende volte
bladergevaarte van zo moet het zijn, dit
is de vorm die elk van ons vond dit is ons
diepste groen en groen ons wezen, tak aan zijn tak
de grond op de grond, stevig, voldragen,
nergens vermoeden van molm, geen huiver
van langzaam en knisperend stuiptrekkend
stervende wespen.
Alleen wie zelf sterft wordt expert, licht
dit gaafrandige voldane op en helpt
zijn bezoeker een feit verder, maar niet ver.

TOERIST

De grond onttrekt zich aan mijn hechten.
Hier is niets dat ik plantte, behalve
een plantje op een graf, een fuchsia,
geen winterharde. Ik zou aan god
moeten gaan geloven om hier mijn botten
ook te mogen laten. Te laat
om van het uitzicht te genieten,
dat kan alleen maar nu, en lukt nu niet.

Het mooiste kerkhof dat ik weet, zo
in de oksel van de rots, aan zee.
Het ruikt naar hooi, maar hooi
waar ik geen koe voor heb.

BOOMCHIRURG

Boomchirurg noemde hij zich, en met zijn motorzaag
zat hij boven in mijn boom toen jij je fiets
tegen het hek aan zette. Altijd en van nature
tegen snoeien zei je alleen: 'zo zo' – en ik zag
dat er iets met je aan de hand was.
'Ik geloof dat er iets in mij groeit dat er niet hoort.'
Op dat moment viel er een tak zodat het dak
van het schuurtje brak. Ik rende weg
en 's nachts wist ik pas hoe dat voor je was –
er braken zorgen bij me uit die niet te stuiten
waren over het ooit als we elkaar verliezen
en hoe we vóór het zover komt dom
zullen redderen, en pas wanneer het kraken
echt vervaarlijk wordt, hulpvaardig
de verkeerde kant op draven.

WEGVAREN

Zomer bezet het land niet langer
het ademt op en gaat zich haasten
bergen, stapelen, opstrijken.
De haan kraait alweer schamelte.

Op de kleine kade die ons afgestoten heeft
rijdt de kleinste bus alsof hij verder leeft.

TRILLINGSGETAL

Je telefoonnummer dreunt in mijn hoofd
licht trappelende dreun. Het volgt me
onder alles door, drukt zich terwijl ik lees
zet zich onder de woorden voort terwijl
ik schrijf.
      En laat ik het heel even los
dan rent het naar de telefoon en draait
zodat er in jouw lege huis een rinkel
klinkt die niemand hoort. Misschien
trilt er een kopje mee als in de toon
haar hoogte even wordt geraakt.
Hoogstens knapt er een vaas.

DROOM

Gelukkig dat er nog iets werd gevonden
waardoor de telefoon de rariteitenkast in kon;
een middel dat twee mensen waar ter wereld
zo verbond dat alles zonder omslag kon verzonden
gedachten, regels, wensen, vragen, antwoord
en vermoedens. Het dagblad *Trouw*
had hiervan het patent. Het reed
met heel veel gele wagens door de straat beneden.
Niet iedereen die wou
kreeg meteen een abonnement.

THE LAST ROSE OF SUMMER

De laatste roos van deze zomer staat in November, rose,
voor het raam, en maakt dat ik me schaam. Waarom?
De onbekommerdheid, het voor-chaotische, dat het woord
roos alleen al tot een overtreding maakt.
Het vers-achtige, het zachte, waarnaar ik streef
en dat ik haat. Kijk naar de kaalte achter je
je bent misplaatst. Maak dat je gauw verdort, verrot,
maak haast, de krant voorspelt vanavond vorst.

DE VLIER

De vlier heeft twee manieren:
één knoestig, hout met bast,
één snel omhoog, en hol als riet
wat vreemd aan één boom past.

ONZEKER

Onzeker of dit ochtend was, na
zo een korte en ondonkere nacht
begonnen aan de horizon
sommige vogels vast
een voorlopiger koor
dan anders.

OPGEHEMELD

Opgehemeld door geleerden
waar hij in zijn jaloers gewoel
mee competeerde, zich bij voegde –
terwijl de vrouwen die hij, in zijn angst
van ze te houden, zwetend streelde
zwijgen als zijn graf.

DE BOER

Het ergste is als alles blijft zoals het is.
Ik wil en kan niet ingrijpen ik wil
naar huis, de koeien melken, eten
en vergeten wat ik zag. Het ergste is
dat dit tumult, als op een schilderij –
dat deze val, van wat?
van nacht nu bijna al
mij in één houding vat.
Mijn ploeg loopt vast,
het blijft mij bij
ik schud het nooit meer af.
Het ergste is als zelfs vergaan
al stilgeschilderd is.

DE ZEEMAN

Mijn vrouw, die met haar armen hoog,
haar benen wijd, rok over rok en juichend
op het uiteinde van de pier zou moeten staan!

Door al het wachten is het juichen haar vergaan,
droog zit ze op haar strozak straks, droog
kijkt ze me aan.

Soms duurt het dagen voor ze op wil staan.
Ik geef haar eten, drinken, zoete vijgen
mijn eigen hevigheden houd ik in.

Dan komt het wonderbaarlijk smelten
dan gaat zij weer bewegen – lente! –
rennen, vult zij de emmers.

O Heilige Maria, juist is zij zacht, juist
rusten wij, armen en benen om elkaar
vaar ik weer uit.

DE VISSER

Er is verslaving in mijn staren
zodra ik uitgooi komt in mij
het woelen en het zoeken tot bedaren
mijn oog rust op de dobber, maar het is meer
dan rusten, het is alsof ik eindelijk
vrij ben op één plek te blijven,
en zo verstijft mijn blik – ik wacht niet
op het bijten van een vis – ik lijm
het ogenblik. Ik hoef niets hoef niet
te kijken. Bepaal mij tot de rimpelingen
bemoei mij niet in diepte door te dringen.
Los van wat boven of wat onder mij
verschijnt, verdwijnt, los van wat was
en los van wat nog te gebeuren staat.
De gladde kleuren die het vlakbij water glanst
zijn mij al veel te veel gebeuren
en kijk daar komt de eerste ring
van één of ander verre dompeling.
Wat kan ik beter doen dan niets,
dan niet bewegen. Zelfs het geringste
opslaan van een oog haalt onherstelbaar
overhoop en brengt teweeg en brengt teweeg.

ONWETENDHEID

Vreemd niets te weten, nooit zeker te zijn
van wat waar is, goed of echt
maar steeds te moeten matigen: *Zo lijkt het mij,*
Tenminste dat vind ik,
Wie weet.

Vreemd zo onwetend over hoe de dingen werken:
hoe ze dat wat ze nodig hebben kunnen vinden,
hoe ze hun vorm en hun precieze zaaitijd weten,
bereid verandering te ondergaan.
Ja, het is vreemd

zelfs om zulk weten te bevatten – ons vlees
omvat ons immers met zijn eigen wil –
en toch ons hele leven te besteden aan probeersels,
zodat als we beginnen dood te gaan
we geen idee hebben waaraan.

Naar Philip Larkin

HET ONGEWONE IS GEEN MOED

De Polen reden vanuit Warschau de Duitse tanks tegemoet
op paarden. Te paard, en wetend, in zonlicht, met sabels.
Ik heb geen vrede met een schoonheid van die grootte.
Toch wil dit gedicht die dag verkleinen. De moed
meten. Zeggen dat is geen moed. Het hartstocht noemen.
Stellen dat moed niet zo is; niet op zijn best.
Onmogelijk ja, en met allure. Zij reden in zonlicht.
Werden verpletterd. Maar ik zeg moed is niet zo buitensporig
niet de verbluffende daad. Niet Macbeth met grote woorden.
Niet de Verloren Zoon, of Faust. Maar wel Penelope.
Niet de verrassing. Het verbaasd ervaren. Trouwen,
niet de ervaring van een maand. Niet de uitzondering.
Een schoonheid die de dagen doorstaat. Stevig en helder.
Het gewone magistrale, waar jaren ploeteren in gaat.

Naar Jack Gilbert

JERUSALEM I

Naarmate later op de dag
wordt het steeds lichter eerst.

Stad die 's nachts niet onder zwart
verstart maar oplost in een roes
van geel en roze,
tot lamp voor lamp en één voor één
een punt wordt dat haar vastpint.

Het schijnt dat hier vandaag
een stad was. Een stad was?
Ja een stad van steen.

Hoe romig en toch tintelend
er het licht was, hoe zacht
het er nacht werd en hoe opeens.

JERUSALEM II

Het is hier alsof alles aldoor iets wil zeggen.
De eucalyptusschaduw langs de dikke witte muur
flitst als een code, als een telegram,
of als de schaduwen van vlam na snelle vlam
uit een ver maar aanhoudend vuur.

Als dit huis weer wordt omgegooid
is de bewoner veel te moe
om opnieuw steen op steen te leggen.

VERHAAL

'U weet misschien dat niets zo hevig is
als eerste liefde. Zij stierf.
Ik kende haar vanaf mijn zestiende. We trouwden,
eerst op het land, toen ging ik leren.
Zij werkte, gaf les, maar was daar eigenlijk
veel te verlegen voor. Toen ze veertig was
kreeg ze kanker. Ze heeft het niet geweten.
Ik hoop dat ik U niet verveel.
Nooit heeft ze zelf over haar dood gepraat.
Waarom vertel ik dit opeens?
U mag hier nooit met iemand over praten.
Toen overkwam me iets dat nú nog onverklaarbaar is.
Ik zou graag willen dat U dit verfilmde.
Een jonge leraar, een hechte band, ook met de klas,
ze wisten dat ik getrouwd was –
Die dag waren wij juist toe aan "sterven,
overlijden, verscheiden, heengaan" en
alle woorden die daarvoor bestaan.
Ik hield het vol, gaf les, ging door
alsof er niets gebeurd was, maar
de klas leek opeens vreemd, alsof
ze meer begrepen dan ikzelf, en me iets kwalijk namen.
Ik hoop dat ik U niet verveel.
Een jonge, toegewijde leraar.
Zoals niet de joden de sjabath bewaarden
maar de sjabath de joden, zo redde mijn school mij –
Vier dagen voor haar dood zaten wij nog in de loofhut.
Hoe kon ik dat nog doen denk ik vaak achteraf,
maar ook: hoe had ik het nìet kunnen doen?
Zij was zo dapper. Wij wisten allemaal

wat ons te wachten stond, ook de kinderen,
die waren al bijna volwassen. Maar niemand
sprak erover. Ik ben al jaren weer hertrouwd
maar nog steeds houdt dit me bezig; hoe kon ik,
een streng gelovig man, ik, die mijn emoties in de hand
had en ook mijn gedrag was door geloof bepaald,
hoe kon ik, nadat ik maanden had geleden
onder dit weten dat ik niet met haar kon delen,
hoe kon ik, die niet brak onder dit alles –
U moet het mij vergeven, maar direct na haar dood –
ik hoop dat ik U niet choqueer – vrijwel direct erna
werd ik verliefd – onbegrijpelijk verliefd
op een leerling, een jong meisje dat dit niet begrijpen kon.
Zij was verloofd. Dat bleek me later. Ik maakte de fout
er ooit met haar over te praten. God vergeve, hoe kon ik
zo ontrouw na zo lang toegewijd het lijden begeleid –
hoe kon ik zo opeens? Ik schaam me nu nog –
Was het misschien, denk ik wel eens, het leven zèlf
dat me door al mijn zelfbeheersing heen, en tegen
elke overtuiging in, heel uit de verte opnieuw wenkte?'

SAMENGEBONDEN

Samengebonden door het lot
zoals twee tenen in een voet van gips.

Hun zonen groeien, worden van spek.
Met het verleden niets van doen.

Alleen een sein dat verder niemand merkt
als bij het oversteken van een straat
de angst waarvan de vader vol is
– geen tanks, gewoon verkeer, maar toch –
van grote hand in kleine overslaat.

VADER EN ZOON IN HEVIGE REGEN

Je zoon op je schouders.
Boven hem je paraplu
een lopend torentje
in regen van nu.
Zelf wees geweest
en wees gebleven
zit je daar zelf
op schouders
van ouders, zelf
in de vorm
van een zoontje,
en boven de hoofden
een ronde en kleine
maar troostende droogte.

SOUVENIR

Omdat ik deze hele stad wel voor je mee wil nemen
zoek ik een klein bewijs als teken;
een muts, een ring, een hemd, een ander ding?
Maar ik vergat de maat te nemen van
je hoofd, je pink, je hals, je inleving.

JECHEZKEL

Omdat hij bang is mag hij binnen komen,
zwarte tijger van venijn, koning van achterheuvels,
poemapotige despoot, ruige struikrover;
als hij niet bang was dan zou ik het zijn.

SIMSON DE HELD

Simson de held nu was oud en hoogbejaard
en kon 's nachts de slaap niet vatten.
Een kind nog, tilde hij al de wereld
met één hand op aan zijn spil.
Toen hij groter werd, en een jonge man, wilde hij sterven
op de nacht dat hij zeventien zou worden.
Hij wou niet doodgaan als oude man: Zeventien en nog een dag.
Vandaar dat hij fakkels aan de staarten
van die driehonderd vossen bond om alles in brand te steken.
Als twintiger nam hij zich wonderen voor
die hij vóór zijn drie en dertigste zou verrichten.
In de dagen dat ze hem de ogen uitstaken
bad hij dat hij de bruiloft van zijn dochters nog mocht zien.
Na tachtig werd hij niet volwassener meer
en in de vergetelheid van zijn uren
dagdroomde hij als een pasgeborene.

En de poorten van zijn Gaza sluimeren nog in erts

en Delila

Naar Amir Gilboa

ONTWERP VOOR EEN
HERSTELBETALINGSREGELING

Goed, goed, mijn heren eeuwige euvelduiders
zeurende wonderdoeners
stil!
Alles komt gaaf op zijn plaats terug
stuk voor stuk.
De schreeuw weer in de keel.
De gouden kiezen in de kaken.
De rook weer in de blikken schoorsteen
en verder naar binnen tot in de holten van de botten,
en huid bedekt je alweer en spieren, je leeft
kijk, je leeft en bent terecht,
zit in de kamer, leest de krant.
Hier, daar heb je je! Alles is nog op tijd.
En wat die gele ster betreft: die wordt
sofort van je borst gerukt
en gaat op transport
naar het firmament.

Naar Dan Pagis

WOESTIJN

De wind, vol zand, giert om het huis
als om het rond te schuren.

Jij droomde dat je dood ging, been voor been,
ik dat je weg zou gaan.
Je ging weg.

Ik koos kleine symbolen;
een vlakgom dat ik meegaf,
wit, waardeloos, een Sahara-cadeau.

Komt tijd, komt raad?
komt zand het begraven.

De gedichten op blz. 33, 34 en 35 werden geschreven in
opdracht van de theaterschool in Amsterdam.
Ze maken deel uit van een libretto: *De val van Icarus*

blz. 36: uit het Engels, naar *Philip Larkin*	The Whitsun Weddings Faber and Faber, London, 1964
blz. 37: uit het Engels, naar *Jack Gilbert*	Views of Jeopardy Yale University Press, 1962
blz. 46: uit het Hebreeuws, naar *Amir Gilboa*	Poems Am Oved ltd., Tel Aviv, 1974
blz. 47: uit het Hebreeuws, naar *Dan Pagis*	Transformation Massada Ltd. Israel, 1970

INHOUD

COLOFON

Botshol van Judith Herzberg werd in opdracht van Uitgeverij G. A. van Oorschot gezet uit de Bembo, gedrukt
door Koninklijke drukkerij G.J.Thieme bv te Nijmegen
en gebonden door Boekbinderij Delcour te Hilversum.
Het omslagontwerp is van Gerrit Noordzij.